Tempel in het oerwoud

Wim Burkunk en Mieke Geurts

Tempel in het oerwoud

Tekeningen van
Joyce van Oorschot

Zwijsen

Omslagontwerp: Rob Galema (Studio Zwijsen)
Logo survival: Philip Hopman

avi 7

Boeken met dit vignet zijn op niveaubepaling
geregistreerd en gecontroleerd door
KPC Onderwijs Adviseurs te 's-Hertogenbosch.

0 1 2 3 4 5 / 03 02 01 00 99

ISBN 90.276.4211.7
NUGI **261**/221

Voor België:
Uitgeverij Infoboek N.V. Meerhout
D/1999/1919/40

Inhoud

1. Hou je vast!

'Vlieg je niet erg laag, paps?'
Marco's stem klonk een beetje benauwd.
'Je bent toch niet bang?' grijnsde zijn vader.
Marco aarzelde even. Hij wist heus wel dat zijn vader een heel goede piloot was. Dus schudde hij zijn hoofd.
'Nee hoor, paps!' zei hij. 'Niet echt, maar...'
Meteen schrok hij en hield hij zijn adem in.
Rakelings scheerde het kleine vliegtuig langs een paar bomen. Onder zich zag Marco het wild spattende water van een rivier. In een rustige boog trok zijn vader het toestel weer op.
'Ik moet wel laag vliegen,' zei hij. 'Ik moet het bos van dichtbij kunnen bekijken.' Hij wees opzij.
'Zie je die dikkerds daar? Die bomen zijn minstens een paar honderd jaar oud. Wat een prachtig hout! Dat levert straks op de houtmarkt zijn gewicht in goud op.'
Marco zweeg even. Hij keek naar buiten, naar het dichte groen. Op een tak zag hij drie witte vogels vlak naast elkaar zitten. Ze hadden grote gele snavels. Hun koppen leken verbaasd mee te draaien met het vliegtuigje dat voorbijstoof. Een eind verderop sprong een grote groep apen door de toppen van de bomen.
'Een foto!' dacht Marco opeens. 'Ik vergeet om foto's te maken! Stom!' Snel greep hij naar zijn toestel. Na de vakantie, terug op school, zouden de

kinderen van zijn groep hun ogen uit kijken! Hij was toch wel een bofkont met zo'n vader! Een tocht met een vliegtuig over het oerwoud! Aanvankelijk was mam het er niet mee eens geweest dat hij mee zou gaan.
'Is dat niet erg gevaarlijk?' had ze gezegd. Maar daar had paps hard om gelachen.
'Welnee, meid. Het is gewoon een rustig tochtje. We zijn vanavond weer terug.'

Marco tuurde door zijn lens. Het was niet gemakkelijk om van hieruit goede foto's te maken. Het ging allemaal zo snel.
'Toch wel jammer dat dit bos weg moet,' zuchtte hij.
Zijn vader schudde zijn hoofd.
'Welnee. Zoals dat bos er nu bij ligt, heeft immers niemand er wat aan. Wij hebben dat hout hard nodig. Daar verdien ik mijn brood mee.'
'Maar als het gekapt wordt, waar moeten de indianen dan heen?' vroeg Marco.
'Hou toch eens op met die zielige verhalen,' zei zijn vader. Zijn stem klonk een beetje boos. 'Dat gezanik altijd. Er wonen daar al lang geen echte indianen meer. Er zijn hooguit hier of daar nog een paar groepjes zwervers. Onbeschaafde wilden. Die zullen maar wat blij zijn met een baantje bij het houtbedrijf. Dan kunnen ze eindelijk eens fatsoenlijk eten kopen. Eten en later misschien wel een huis. Dat is toch veel beter dan...'
Maar hij kreeg geen kans zijn zin af te maken.

Opeens werd het donker in de cockpit en er klonk een enorm lawaai. Het was alsof er een regen van grote stenen tegen de romp botste. In een paar seconden was het voorbij en werd het weer lichter. Nu zagen ze wat er gebeurd was. Ze waren onverwacht in een grote zwerm vogels terechtgekomen. Door de voorruit was niets meer te zien. Overal zaten veren en bloed. Marco werd er bijna misselijk van.
Haastig trok vader het toestel omhoog, weg van de bomen. Het leek te lukken, maar de motor sputterde vreemd. Even sloeg hij zelfs helemaal af en zakte het vliegtuig weer omlaag. Vader gaf gas. De motor sloeg heel even aan, maar stopte toen weer.
'Er zijn vogels in de motor gekomen,' gromde vader.
Ze vlogen nu angstig laag tussen de bomen boven het water van de wild bruisende rivier. Marco voelde hoe zijn hart als een gek tekeerging. Hij kneep zijn handen stijf om de leuning van zijn stoel.
Nee, kon hij alleen maar denken. Nee, paps! Geen ongeluk, alsjeblieft! Maar hij durfde het niet hardop te zeggen. Hij beet op zijn lip en keek naar het gespannen gezicht van zijn vader. Even leek het erop dat vader de machine weer op gang kreeg. De neus van het toestel kwam iets omhoog. Maar na wat gesputter gaf de motor het weer op. Vader kreunde toen het toestel scherp omlaagdook.
'Hou je vast, Marco,' riep hij. 'Ik ga proberen een

noodlanding te maken op de rivier. Dat is onze enige kans.'
Op hetzelfde moment raakte hij het water al. Door de snelheid kaatsten ze terug omhoog en smakten toen weer omlaag. Door de klap op het water brak een vleugel af. Het toestel maakte een wilde draai om zijn as. Toen ging het recht op een boom af. Het was een enorm grote, oude boom. Hij was dwars over de rivier gevallen en lag daar als een grote, zwarte brug. Marco gilde toen het gevaarte recht op hen af leek te komen. Snel dook zijn vader langs Marco heen. Hij greep naar de hendel van de deur. Die vloog open.
'Springen,' hijgde hij. 'Spring!'
Meteen gaf hij hem een harde duw.
Marco voelde hoe hij met een grote boog door de lucht vloog. Hij kwam in de oude boom terecht, in een wirwar van krakende, dorre takken. Op hetzelfde moment vloog het toestel met een harde klap tegen de boom te pletter.
'Paps!' gilde Marco aan een tak hangend, zijn benen half in het water.
Hij zag hoe het vliegtuig door de rivier steeds verder tegen de boom werd gedrukt. Zijn vader was eruit geklommen en stond nu boven op de glibberige romp. Opeens draaide het wrak een halve slag en dook voorover. De neus verdween onder water en de staart kwam bijna loodrecht omhoog. Marco zag hoe zijn vader weggleed. Hij maakte een wanhopige sprong om nog ergens houvast te krijgen, maar het was tevergeefs. Hij

kwam in het water terecht en werd meegesleurd door de wilde stroming.

Marco begon wanhopig te huilen. Hij hing tussen de dorre takken en voelde overal pijn. Heel even kreeg hij zin om zich los te laten. Om zich gewoon te laten vallen. Maar in plaats daarvan begon hij te klimmen. Heel langzaam en voorzichtig hees hij zich over een dikke tak omhoog naar de stam. Vandaar kroop hij met kleine stukjes steeds iets verder naar de oever.
Het ging maar heel moeilijk. Zijn ene been zat onder het bloed en was helemaal gevoelloos. Zijn hoofd bonsde vreselijk en er zat een diepe schram in zijn arm.
Ten slotte zag hij de modderige grond onder zich. Uitgeput liet hij zich omlaagglijden. Hij keek om toen hij achter zich gekraak hoorde. Het staartstuk van het vliegtuig bewoog heftig. Toen verdween ook dat in het wild stromende water.

Marco kreunde en sloot zijn ogen. Mam had gelijk gehad. Had ze misschien gevoeld dat er iets mis zou gaan?
'Mam?' zei hij heel zacht. Kon zij hem maar horen. 'O, mam!'
Hij was duizelig en wilde alleen nog maar blijven liggen. Alles vergeten, alsof het niets anders was geweest dan een nare droom. Een nachtmerrie waaruit hij straks wakker zou worden.
Ondanks de pijn doezelde hij weg, maar...

wat was dat? Er kwam iets of iemand aan zijn voorhoofd. Er streelde iets zachts en nats langs zijn gezicht.

2. Waar ben je nou?

Marco probeerde zijn ogen te openen, maar het lukte niet onmiddellijk. Ik droom, dacht hij. Ik ben gewoon thuis en ik lig in mijn bed. Of op het gras in de tuin. Wat ik voel is Brutus, de hond, die me likt.
'Ga weg, viezerik,' mompelde hij en hij probeerde het beest van zich af te duwen. Met moeite opende hij zijn ogen en schrok, want dat was Brutus niet! Naast hem stond een enorm zwart beest van meer dan een meter lang. Dat is een otter, wist hij, een reuzenotter. Hij herkende het dier van een plaat op school. Was zo'n beest niet gevaarlijk? dacht hij angstig. Hij probeerde weg te kruipen, maar het beest bleef hem likken. Pas toen Marco half overeind kwam, liep het dier weg. Met schuifelende bewegingen ging het naar de diepe inham in de rivier. Daar verdween het met een harde plons onder water. Meteen stak het even verder zijn kop weer omhoog. Marco zag nu dat er een hele groep otters rondzwom. Ze sprongen, doken en keken belangstellend naar die ongewone verschijning op de kant. Het leek alsof ze wilden zeggen: 'Kom op, joh! Lekker spelen!'
Maar Marco had wel wat anders aan zijn hoofd. Hij was nu weer klaarwakker. Alle afschuwelijke beelden kwamen terug. Het vliegtuig dat neerstortte. Zijn vader die meegesleurd werd door het water. Het was geen droom geweest. Geen

nachtmerrie. Hij lag hier in het oerwoud, helemaal alleen, want zijn vader was...
'Nee,' riep Marco en zijn stem sloeg over. 'Nee. Hij is niet dood. Dat kan niet. Dat mag niet! Natuurlijk leeft hij nog.'
Het kostte hem de grootste moeite om overeind te komen, maar hij zette door. Hij moest zijn vader gaan zoeken.

Het was een wanhopige tocht. Soms liep hij half in het water. Maar op veel plekken was dat te diep en stroomde het te hard. Dan klauterde hij terug op de kant. Daar worstelde hij zich moeizaam door de dichte begroeiing. Hier en daar groeiden doornige struiken, die zich vasthaakten in zijn kleren. Soms was er haast geen doorkomen aan. Steeds sneller raakte hij uitgeput en moest hij gaan zitten om uit te rusten. Ten slotte kon hij niet meer. Hij begon te huilen.
'Paps!' snikte hij. 'Paps?'
Toen werd hij woedend.
'Stomme, stomme rotpaps!' gilde hij. 'Waar ben je nou?'
In de stilte hoorde hij de echo van zijn stem terugkaatsen. 'Waar ben je nou? Waar ben je nou?' Maar opeens...
'Marco? Waar ben je?'
Dat was geen echo!
'Paps!' gilde Marco en hij sprong overeind. Zijn uitputting was hij vergeten. Dat was de stem van zijn vader! Waar kwam het geluid vandaan?

'Paps!' gilde hij.
'Marco! Hier!'
De stem was zwak en leek van heel ver te komen. Marco begon te rennen, worstelend door het groen, vallend en struikelend. Dorens schramden langs zijn armen en zijn benen. Terugspringende takken zwiepten tegen zijn gezicht. Maar het kon hem allemaal niets schelen. Ergens voorbij al dat groen was zijn vader! Hij moest hem vinden.
En het lukte! Op een kleine open plek langs het water zag hij hem! Daar was zijn vader, half liggend, half overeind zittend langs de waterkant. Marco rende naar hem toe.
'Paps!'
Hij wilde tegen hem aan kruipen, maar zijn vader kreunde.
'Au! Even voorzichtig, jong.' Het kostte hem kennelijk moeite om adem te halen. 'Ik ben nogal beroerd terechtgekomen. Het water smakte me een paar keer stevig tegen de rotsen. Ik geloof dat ik een paar ribben gekneusd heb of zoiets. En er is ook iets mis met mijn enkel. Ik kan niet lopen. Ik hoop maar dat hij niet gebroken is.'
Marco schrok.
'Maar hoe moet dat dan? We kunnen hier toch niet blijven?'
'Vind je het dan geen leuke kampeerplaats?'
Zijn vader probeerde te lachen, maar hij had te veel pijn. Meer dan een vage grimas werd het niet. Hij gaf Marco een aai over zijn hoofd.
'Maak je maar geen zorgen. Als ze niets meer van

me horen, gaan ze natuurlijk op zoek.'
'Weten ze dan waar je bent?'
'Niet precies natuurlijk, maar ze weten wel ongeveer waar ik heen ben gevlogen. Als ze het wrak zien...'
Marco schudde zijn hoofd.
'Dat zien ze niet, paps,' zei hij somber. 'Ook het staartstuk is verdwenen. Weggespoeld door het water.'
Zijn vader bleef even stil.
'Nou ja,' zei hij ten slotte, 'ze vinden ons heus wel! Dat zul je zien.'
Hij wilde overeind komen maar zakte kreunend weer terug op de grond.
'Wacht,' zei Marco, 'ik zal een steuntje voor je maken. Voor in je rug.'
Hij stond op een keek om zich heen. Waar kon je zo gauw een stevig steuntje van maken? Misschien van die varens daar? Hij liep ernaartoe en begon de grote bladeren los te trekken. Met de lange slierten van een slingerplant bond hij ze bij elkaar. Hij zag dat hij op moest schieten, want het begon al donker te worden. Haastig plukte hij nog meer groen en perste alles in elkaar. Het ging moeilijk, maar ten slotte leek het toch een beetje op een kussen. Op een groot, groen kussen dat hij achter zijn vaders rug neerzette.
'Gaat het zo?' vroeg hij bezorgd.
Zijn vader knikte.
'Prima gedaan, jongen! Zo hou ik het vannacht wel uit. Ga jij ook maar proberen te slapen. Je ziet

eruit of je het nodig hebt!'
Voorzichtig ging Marco zitten, leunend tegen het kussen, zo dicht mogelijk naast zijn vader. Hij zuchtte. Slapen? Zijn vader had mooi praten. Zijn hele lijf deed pijn. Zijn hoofd bonsde. Hij voelde een gemene stekende pijn in zijn rechterbeen en zijn arm gloeide. Hij kon wel janken. Wat moesten ze beginnen? Zijn vader deed wel flink, maar hij kon zich nauwelijks bewegen! Natuurlijk zou er naar hen worden gezocht. Maar wie zegt dat ze ook gevonden zouden worden? En als dat niet zou gebeuren, wat moesten ze dan?

Hij was kennelijk toch in slaap gevallen, want opeens schrok hij wakker. Dat geluid? Het duurde even voor hij begreep wat het was. Het was zijn vader, die kreunde en mompelde, maar Marco kon niet verstaan wat hij zei. Hij stak zijn hand uit.
'Paps?'
Marco voelde dat zijn vader kletsnat was van het zweet.
'Paps?' zei Marco opnieuw en schudde hem zacht aan zijn arm. 'Paps? Wat is er? Ben je ziek?'
Tegelijk wist hij dat dat een stomme vraag was. Natuurlijk was paps ziek. Doodziek. Hij had koorts en lag te ijlen. Wat moest hij doen?
Water, bedacht hij. Hij stond op en liep naar de waterkant. Daar aarzelde hij even. Het was 's nachts koud, hier in de bergen. Toen trok hij resoluut zijn hemd uit en haalde dat door het water. Snel liep hij terug.

‘Stil maar, paps,’ zei hij. Voorzichtig veegde hij met het natte hemd het zweet van zijn voorhoofd. ‘Ik zorg wel voor je. Je moet gauw beter worden, anders kunnen we hier niet weg.’
Zijn vader zei niets, maar hij werd wel wat kalmer. Hij kreunde nu niet meer. Opnieuw haalde Marco water. Met het natte hemd depte hij het zweet weer weg, steeds opnieuw. Na een poosje leek het te helpen. Zijn vader viel in een onrustige slaap. Doodstil bleef Marco naast hem zitten en luisterde naar de geluiden van de nacht. Overal tussen het groen klonk geritsel en gepiep. Ergens in de verte hoorde hij gekrijs. Waren dat apen of vogels? Wat moest hij doen als er gevaarlijke dieren op hen afkwamen? Zou je die weg kunnen jagen door hard te schreeuwen? Misschien moest hij een vuur maken om ze op een afstand te houden. Een vuur maken, maar hoe? Als ik maar niet in slaap val, dacht hij krampachtig.

3. Indianen

Marco werd wakker van stemmen om zich heen. Het waren stemmen van mannen. Wat moesten die in zijn slaapkamer en wat zeiden ze eigenlijk? Hij luisterde, maar hij kon ze niet verstaan. Ze spraken een vreemde taal vol onbekende keelklanken.
Het kostte hem moeite om zijn ogen open te krijgen. Toen dat eindelijk lukte, knipperde hij verdwaasd tegen het felle zonlicht. De bomen? Het bos?
Hij schrok.
Zijn vader? Zijn vader was doodziek en hij zou op hem passen. Had hij dan toch geslapen? En zo lang. Het was al volop dag!
Hij keek om zich heen en nu zag hij ze pas. Het waren drie mannen. Eentje stond vlak naast hem. De twee anderen stonden over zijn vader gebogen en betastten hem heel voorzichtig.
Ze zagen er vreemd uit. Twee hadden broeken en vesten aan van dierenhuid. Daaroverheen droegen ze een wollen omslagdoek. Hun zwarte haar hing in een lange vlecht over hun rug. De derde man had een kleurige lendendoek om en hij droeg een wollen vest. Op zijn hoofd had hij een gebreide muts met lange flappen, die over zijn oren hingen.
Opeens drong het tot Marco door. Dit waren indianen!
Snel wilde hij overeind komen, maar heel zijn lichaam deed pijn. Hij kreunde en zakte terug op de grond.

'Qué pasa? Wat moet dat?' vroeg hij schor. Hij hoopte maar dat de mannen Spaans spraken. In de stad was dat nooit een probleem. Daar spraken de meeste indianen ook wel Spaans, maar hier in het binnenland?
'Qué estáis haciendo con mi padre? Wat doen jullie met mijn vader?' drong hij aan, toen de man niet meteen antwoordde.
'Padre enfermo. Vader ziek,' zei de man die naast hem stond. Hij moest het nóg een keer zeggen, want Marco verstond niet wat hij zei.
'Padre muy enfermo. Vader erg ziek,' zei de man opnieuw, deze keer langzaam en heel nadrukkelijk. Het was gebrekkig Spaans en met een vreemd accent, maar Marco zuchtte opgelucht. De man sprak gelukkig niet alleen maar indiaans. Met een beetje moeite kon hij hem redelijk verstaan. Zijn stem klonk ook heel vriendelijk. Het leek alsof hij Marco gerust wilde stellen.
'Vader naar dorp,' zei hij. 'Naar medicijnman. Medicijnman is heel knap. Maakt vader snel weer beter.'
Marco zag hoe de twee anderen zijn vader nu hadden opgepakt. Zij legden hem op een soort draagbaar van takken. Opnieuw probeerde Marco op te staan. De man naast hem lachte.
'Niet opstaan. Niet goed. Jij ook ziek. Hier. Drinken.' Hij hield Marco een soort veldfles voor. Wat erin zat rook afschuwelijk en Marco duwde de hand weg. Maar de man hield vol.
'Drink,' zei hij. 'Is goed tegen pijn.'

Meteen kneep hij Marco's neus dicht en duwde de fles tussen zijn lippen. Er zat niets anders op. Walgend slikte Marco een grote slok van het spul in. Het brandde in zijn keel en in zijn slokdarm.
'Ik... ik moet overgeven,' zei hij benauwd.
Maar de indiaan trok zich daar niets van aan. Hij legde zijn hand op Marco's voorhoofd. 'Goed,' zei hij na een poosje. 'Heel goed.' Hij boog zich voorover en sloeg zijn armen om de jongen heen. Hij tilde hem op en begon te lopen, achter de anderen aan.

Marco wilde eigenlijk van alles vragen, maar hij was te moe. Verbaasd merkte hij dat de pijn uit zijn lichaam verdwenen was. Hij voelde zich vreemd zweverig. Hij had ook steeds de neiging om te giechelen, al wist hij niet waarom.
'Dat komt natuurlijk van dat vieze drankje,' dacht hij. 'Wie weet wat voor troep die kerel me heeft laten slikken!' Maar de sterke armen om hem heen voelden rustig en veilig aan. Marco haalde zijn schouders op. Wat kon het hem ook schelen? Het was wél een prettig gevoel. Zacht wiegde hij op en neer in de armen van de indiaan. Hij zag de twee anderen voor hen uit lopen. Ze hadden de draagbaar met vader tussen hen in. Ze liepen snel, maar wel heel voorzichtig. Zou vader nu ook geen pijn meer hebben?
Een medicijnman, dacht hij. Dat is natuurlijk geen echte dokter, maar het is toch beter dan niets. Laten we maar hopen dat hij paps voorlopig kan

helpen. Als hij maar zo ver opknapt dat we thuis kunnen komen. Dan zien we daarna wel weer verder. Na een poosje doezelde hij bijna weg, maar opeens...

'Stop!' gilde hij. Dat geluid? Dat was een vliegtuig! Ergens daarboven cirkelde een vliegtuig rond. Dat was natuurlijk naar hen op zoek! Maar in het dichte oerwoud konden ze vanuit de lucht niet gezien worden. Ze moesten snel terug naar de rivier of naar een open plek. Marco worstelde om los te komen, maar tevergeefs.
'Rustig blijven,' zei de indiaan, die hem stevig vasthield. 'Eerst medicijnman.'
Maar Marco had lak aan de medicijnman. Wat hadden ze aan zo'n kwakzalver als ze een echte dokter konden bereiken?
'Hoor je dat vliegtuig dan niet?' gilde hij. 'Die zijn naar ons op zoek. Ze kunnen mijn vader naar een ziekenhuis brengen. Naar een écht ziekenhuis.'
De indiaan schudde koppig zijn hoofd en hield Marco stevig vast.
'Vliegtuig niet goed,' zei hij. 'Ziekenhuis niet goed. Medicijnman goed. Maakt vader snel beter.'
Nog even spartelde Marco tegen. Toen gaf hij het wanhopig op. Het had geen zin meer, wist hij. Het geluid van het vliegtuig was in de verte weggestorven.

4. De tempel

De indianen liepen verder en verder door het oerwoud. Ze volgden een smal pad. Soms ging het steil omhoog. Dan weer omlaag. Hier en daar groeiden er lianen over hun pad. Dan moesten ze stoppen om met hun kapmessen een doorgang te maken.

Het bos was vol leven. Boven zijn hoofd sprong soms een hele troep apen een eindje met hen mee. Er waren ook veel vogels. Mooie witte vogels, die de vreemdste geluiden maakten.
Eén keer werd hun weg versperd door een grote gifslang. De indianen hadden het dier eerder in de gaten dan Marco. Alledrie stonden ze opeens stil. Ze zetten de draagbaar met vader zachtjes neer. Ook Marco werd snel op de grond gezet. Hij begreep niet waarom de mannen opeens stopten en wilde iets vragen. Meteen legde de indiaan zijn hand over zijn mond.
'Stil,' fluisterde hij. Met zijn hoofd maakte hij een kort gebaar. 'Dáár!'
Nu zag Marco het dier ook. Bijna had hij gegild. De slang hing roerloos tussen de takken van een boom. Zijn kop stak naar voren en hij staarde hen aan. Alleen zijn tong bewoog heel zachtjes.
Toen gebeurde er iets vreemds. De drie indianen gaven elkaar een hand en begonnen zachtjes heen en weer te wiegen. Het leek wel alsof ze dansten.

Ze zongen er ook bij met een zacht, zoemend geluid. Verbaasd zag Marco hoe de slang in beweging kwam. Zacht bewoog hij heen en weer. Toen schoot hij langs de stam van de boom omlaag. Op de grond richtte hij zich nog even hoog op. Toen schoof hij met de kop vlak boven de grond langs de indianen. Even later was hij verdwenen tussen het groen. Marco slaakte een diepe zucht. De mannen hadden hun dans gestaakt. Ze pakten Marco en vader weer op. Meteen gingen ze verder alsof er niets was gebeurd.

Er leek geen eind aan de tocht te komen. Marco voelde hoe hij weer begon weg te doezelen. Totdat de weg een laatste bocht maakte en...
Opeens was hij klaarwakker. Dit kon niet echt waar zijn! Het leek net of ze opeens in een andere wereld waren! Iets waar je wel eens over las in boeken. Maar dit was écht!
Hij keek uit over een dal. Het was maar klein en lag tussen hoge bergen. Er was een waterval die in een meertje terechtkwam. Van daaruit liep het water als een smalle rivier door het dal. Maar wat het meeste opviel tussen het dichte groen was de tempel! Een prachtige, grote tempel. Hij leek op plaatjes die Marco op school wel eens had gezien. Plaatjes over heel vroeger. Van nog ver vóór de tijd van Columbus. De tempel moest wel heel oud zijn. Het was nu bijna een ruïne. Hij was begroeid met planten en bloemen. Van twee kanten liepen er steile trappen omhoog. Daarboven was een

platform met een rij beelden. Sommige waren wel drie of vier meter hoog.
Marco moest denken aan wat zijn vader had gezegd. Dat er hier in het oerwoud alleen maar wilden woonden. Daar leek het anders niet op!
Terwijl ze verderliepen, het dal in, zag Marco nu ook het dorp. Aan de voet van de tempel waren hutten gebouwd in een halve cirkel. Ze lagen in de schaduw van grote bomen. Marco had al heel wat indiaanse hutten gezien. Rond de stad waar hij en zijn ouders woonden, waren er heel veel. Dikwijls waren het nauwelijks hutten te noemen. Soms waren het niet veel meer dan kartonnen dozen. Maar déze hutten zagen er heel anders uit. Er waren grote en kleine. Ze hadden stevige rieten daken. De wanden waren gebouwd van grijze stenen. En ze waren begroeid met bloemen. Ze leken nog het meest op luxe huisjes op een dure camping. En wat ook meteen opviel, was dat alles zo schoon was. Nergens lag rommel of afval.
Marco kon het niet helpen dat hij moest grinniken. Onbeschaafd, paps? vroeg hij zich af. Daar zul je straks dan gek van opkijken!

Veel tijd om rond te kijken kreeg Marco niet. De mannen liepen nu snel het pad af naar het dorp. Meteen kwamen een paar andere mannen naar hen toe. Samen klommen ze de lange stenen trap op naar de tempel.
Voor de ingang hing een gordijn van dikke kralen. Een van de mannen schoof het opzij, zodat ze naar

binnen konden. En daar stond Marco wéér een verrassing te wachten. De tempel was tegen een bergwand aan gebouwd. Daardoor was de ruimte kleiner dan hij had gedacht. Maar wat het eerste opviel waren de kleuren. Op de vloer lagen prachtige lappen. In de stad had hij die ook wel gezien. Deze soort stoffen werden veel geweven door indianen. Ze waren te koop op de markt. Maar zulke mooie als deze had hij nog nooit gezien.
Ook de wanden van de ruimte waren versierd. Door het licht dat naar binnen viel, zag Marco dat de muren vol vreemde tekens stonden. Hij vroeg zich af wat ze voorstelden.
Ook hier stonden een paar beelden. Ze waren enorm groot. Wel mooi, vond Marco, maar ook een beetje eng.
De ruimte deed denken aan een kapel of een kerk. Zou het iets te maken hebben met hun godsdienst? Was de medicijnman misschien een soort priester?

5. De medicijnman

Inmiddels hadden de mannen vader naar het midden van de ruimte gebracht. Daar legden zij hem neer op een kleine verhoging. Marco wilde meteen naar hem toe, maar dat viel tegen. Toen de indiaan hem op de grond zette, wankelde hij.
'Niet zo vlug,' zei de man. Hij pakte hem bij zijn arm. Toen zette hij hem op een paar kussens naast zijn vader. Moeizaam draaide Marco zich op zijn zij. Wat was zijn vader bleek! Hij stak zijn hand naar hem uit.
'Paps?'
Zijn vader zei niets. Hij lag daar heel stil. De indianen hadden zijn schoenen uitgetrokken. Marco zag dat zijn vaders enkel blauw en gezwollen was. De voet stond vreemd opzijgedraaid, maar hij scheen geen pijn te hebben. Hij zweette en hijgde ook niet langer. Hij ademde heel rustig en het leek net of hij lag te slapen.

Een van de indianen was teruggelopen naar de ingang. Daar pakte hij een lang stuk bamboe. Hij zette het aan zijn mond als een hoorn. Hij haalde diep adem en blies zo hard hij kon. Het gaf een diep en donker geluid. Hij blies nog eens en even later begonnen er mensen binnen te komen. Het waren er wel twintig of meer, mannen, vrouwen en ook een paar kinderen.

Heel rustig gingen ze zitten en vormden een grote kring. Ze zaten stil en roerloos. Ze leken ergens op te wachten. Op de medicijnman? Waarom zei niemand iets? Marco voelde zich verlegen worden onder al die blikken.
'Als er niet gauw iets gebeurt, ga ik gillen,' dacht hij.
Toen schoof het gordijn opzij. Er kwamen een man en twee vrouwen binnen. Gek genoeg was Marco even een beetje teleurgesteld. Was dat nou een medicijnman? Hij had een rare kerel verwacht, volgesmeerd met verf, bloed en veren van kippen. Of volgehangen met botten, schedels en andere enge dingen. Maar deze man zag er niet bijzonder uit. Hij droeg een kleurige mantel die tot op de grond hing. Over zijn gezicht liepen een paar witte en zwarte strepen verf. Dat was alles. Verder was het gewoon een indiaan net als alle anderen. De twee vrouwen droegen allerlei vreemde spullen. Het waren potjes, flesjes, manden met bladeren en kruiden en nog veel meer.

De medicijnman liep recht naar de verhoging waarop vader lag. Daar stond hij stil en vouwde zijn handen. Het lijkt wel of hij staat te bidden, dacht Marco. Met gesloten ogen bleef de man een paar tellen roerloos staan. Toen liet hij de mantel van zijn schouders glijden. Hij boog naar voren en strekte zijn handen over vader uit. Hij bewoog zijn handen door de lucht over vader heen, maar zonder hem aan te raken.

Intussen stalden de vrouwen hun spullen uit op de grond. Soms keken ze even vragend op naar de medicijnman. Die wees dan naar een bepaalde plaats. Ten slotte had alles een eigen plek gevonden.
De medicijnman knikte. Toen begon hij rond Marco en zijn vader te lopen. Het was eigenlijk geen lopen wat hij deed. Het was meer een heel rustige dans. Met zijn handen maakte hij nu grote gebaren in de lucht. Daarbij begon hij te zingen en meteen vielen alle anderen in. Het was een vreemd, mompelend gezang. Het leek meer op neuriën dan op zingen. Marco wist niet wat hij ervan moest denken. Het was een ander soort muziek dan hij ooit had gehoord. Toch was het op een vreemde manier heel erg mooi. Hij voelde de trilling van de klanken tot diep in zijn lijf. Na een poosje kreeg hij een sterke neiging om mee te zingen. Hij probeerde het even, maar het lukte niet. Hij had een prop in zijn keel, waardoor hij bijna moest huilen.
Hij zag hoe de medicijnman nu knielde bij de voeten van zijn vader. Een van de vrouwen knielde naast Marco. Zij had een kom in haar handen genomen. Met een soort drabbige olie wreef zij zacht over zijn been. Daarna smeerde zij het goedje ook over zijn arm en zijn hoofd. Het gaf een prettig, slaperig gevoel. Uit een ooghoek zag hij hoe de medicijnman met zijn vader bezig was. Opnieuw bewoog hij zijn handen omhoog en omlaag vlak over vaders borst en over zijn

voorhoofd. Toen pakte hij de gewonde enkel beet. Hij gaf een harde ruk. Er kraakte iets. Marco hoorde hoe zijn vader luid kreunde. Was die kerel gek?! Hij wilde overeind komen, maar de vrouw duwde hem zachtjes terug. De medicijnman keek naar het been en knikte tevreden. Hij wenkte naar de tweede vrouw. Zij stond op en reikte hem bladeren en kruiden aan. De medicijnman legde die op verschillende plekken op vaders lichaam. In een grote pot maakte hij een stinkend mengsel van olie en klei. Voorzichtig smeerde hij de dikke smurrie uit over vaders been en over zijn borst.
En toen...
Marco zag hoe er weer kleur in zijn vaders gezicht kwam. Hij opende zijn ogen en keek naar hem.
'Hoi, zoontje!' zei hij, maar het klonk erg vermoeid. Meteen sloot hij zijn ogen weer.
'Paps!'
Marco stak zijn hand naar hem uit, maar de vrouw hield hem tegen.
'Je vader moet nu slapen,' zei ze zacht. 'Jij ook slapen. Morgen beter.'
'Slapen?'
Marco wilde helemaal niet slapen. Hij wilde ook niet dat zijn vader ging slapen. Hij wilde met hem praten, maar hij was zo moe.
'Morgen beter,' zei de vrouw opnieuw. 'Allebei beter.'
Marco voelde hoe zij hem optilde. Vaag merkte hij nog dat zij hem de tempel uit droeg naar een kleine hut. Hij voelde hoe hij werd neergelegd op

zachte, warme kussens, naast zijn vader.
Morgen beter? dacht hij slaperig. Wat een onzin. Een gebroken enkel, dat duurt weken. Als het niet langer is. Hoe komen we hier ooit nog weg? Ik moet iets doen. Maar wat? We zitten midden in het oerwoud. Niemand weet waar we zijn. Zelfs mam weet niet eens of we nog wel leven. Hoe kan ik iemand waarschuwen?
Krampachtig zocht hij naar een oplossing, maar hij kon niets bedenken. Langzaam raakten zijn gedachten verward en ten slotte won de vermoeidheid het. Hij zakte weg in een diepe slaap.

6. Naar het dak van de tempel

'Word eens wakker, luiwammes! Er moet gegeten worden. Of heb je geen trek?'
Met een schok kwam Marco overeind. Eten? Stomverbaasd keek hij naar zijn vader, die naast hem stond. Die naast hem stond, gewoon rechtop, alsof er gisteren helemaal niets vreselijks gebeurd was.
'Maar... maar...'
Marco slikte. Hij kon geen woord uitbrengen en keek alleen maar. Naar zijn vaders been, naar zijn hoofd en zijn borst.
'Het is een wonder wat die man gefikst heeft,' zei zijn vader. 'Mijn enkel, mijn ribben, mijn hoofd, alles is weer prima in orde. Alsof er niets gebeurd is. Het is niet te geloven.'
Marco keek verbaasd naar zijn eigen been en naar zijn arm. Ook daar was niets meer te zien of te voelen. Geen pijn meer en zelfs geen litteken.
'Hoe kan dat nou?' was alles wat hij uit kon brengen.
Zijn vader schudde zijn hoofd.
'Geen idee. Het zag er gisteren beroerd voor ons uit. Ik dacht werkelijk dat we dit avontuur niet zouden overleven. Maar nu! Het is onbegrijpelijk, maar ik heb me nog nooit zo goed gevoeld.'
Uitgelaten maakte hij een paar vrolijke danspasjes. Toen hield hij een grote kom omhoog.
'Ze hebben ons eten gebracht. Voor ons allebei

een kom, maar ik weet niet wat het is. Het lijkt een soort gerstepap met vruchtjes. Ik heb het al even geproefd en het smaakt erg lekker.'
Marco aarzelde nog even, maar dat ging snel voorbij. Al bij de eerste hap merkte hij dat hij rammelde van de honger. Kennelijk verging het zijn vader net zo. Opeens proestte Marco van het lachen. Zijn vader haalde met zijn hand het laatste restje pap uit zijn kom. Een voor een likte hij toen zijn vingers af.
'Wat is er?' wilde zijn vader weten.
'Over beschaafd gesproken!' grijnsde Marco.
'Foei toch, paps, waar zijn je manieren? Kijk maar uit dat die onbeschaafde wildemannen dat niet zien!'
'Ach, stik jij!' zei zijn vader. Hij wilde nog meer zeggen maar opeens...
Ze sprongen allebei tegelijk op.
'Een vliegtuig!' Ze renden naar buiten.
Het vliegtuig? Waar was het? Marco keek omhoog, maar hij zag alleen het dichte groen van de bomen. Hier en daar prikte de zon door een kleine opening in het bladerdak. Van de blauwe lucht was van hieruit nauwelijks iets te zien. Half struikelend holde hij verder. Er moest toch ergens een open plek te vinden zijn? Het geluid van het vliegtuig was nu sterker geworden. Het moest al vlak boven hen zijn. Marco gilde en schreeuwde als een dolleman, zwaaiend met zijn armen.
'Hier! We zijn hier!'
'Stop, Marco! Hou op! Dat heeft geen zin.'

Dat was vader, die hem had ingehaald en hem bij zijn arm pakte.
'Schei maar uit. Je maakt je doodmoe voor niets. Ze kunnen ons hier niet zien en horen kunnen ze ons al helemaal niet.'
Moedeloos ging Marco op de grond zitten. Hij moest een paar keer heel diep zuchten.
'Dat weet ik óók wel,' zei hij ten slotte. 'Maar wat moeten we dán? Misschien geven ze het wel op en komen we nooit meer thuis!'
Zijn vader kwam naast hem zitten en sloeg zijn arm om hem heen.
'Ben je gek, joh?' probeerde hij hem gerust te stellen. 'In het ergste geval zullen we te voet terug moeten. Dat zal niet eenvoudig zijn, maar dat moet kunnen. Maar het vliegtuig komt terug. Zo gauw geven ze het zoeken echt niet op. Als ze nog eens overvliegen, moeten we zorgen dat ze ons zien!'
Hij keek bezorgd om zich heen. 'De vraag is: hoe krijgen we dat voor elkaar tussen al die bomen? Er is nauwelijks iets als een open plek. Zelfs de hutten en de tempel zijn vanuit de lucht niet te zien. Van daaruit zien ze niets dan oerwoud.'
'We moeten een vuur maken,' zei Marco opeens. 'Een vuur met heel veel rook!'
Zijn vader keek omhoog en schudde toen zijn hoofd.
'Die rook komt niet ver. Die blijft voor het grootste deel hangen tussen de bomen.'
'En als we dat vuur nou eens daarboven maken?' Marco wees. 'Boven op het dak van de tempel.

Daar is ruimte genoeg. De rook kan daar tussen de bomen door recht omhoog!'
Hij sprong op, opeens weer enthousiast.
'Ja, dat doen we. Ga je mee, paps?'
Zijn vader aarzelde.
'Toe nou,' drong Marco aan. 'We kunnen in elk geval even gaan kijken.' Meteen draaide hij zich om en liep weg.
'Waarom ook niet?' mompelde zijn vader en hij stond op. 'Even kijken kan geen kwaad.'

Het was gemakkelijker gezegd dan gedaan. Eerst waren er de steile stenen trappen. De treden waren erg hoog. Ze leken wel gemaakt voor reuzen. Het waren er ook zo vreselijk veel! Ze waren allebei ademloos voor ze boven waren.
'Even bijkomen, hoor,' zei vader. Puffend ging hij op een brok steen zitten.
Marco keek om zich heen. Van zo dichtbij vond hij de enorme beelden toch wel een beetje griezelig. Ook de tempel leek nu veel groter en hoger dan vanuit het dorp. Hij voelde zich vreselijk klein en ook een beetje bang. Wie weet wat hier vroeger voor enge dingen gebeurd waren? Het zag er allemaal zo stil en geheimzinnig uit. Hij schrok bijna toen hij de stem van zijn vader hoorde.
'Hoe dacht je trouwens daar helemaal boven op het dak te komen?'
Marco moest wel even slikken, maar hij hield zich groot. Heel rustig zei hij: 'Gewoon klimmen, paps.

Daar langs de zijkant lukt het best. Daar zijn een hoop stenen uit de muur gevallen. Dat wordt een fluitje van een cent! Kom op!'
Zijn vader keek naar de brokkelige zijmuur van de tempel.
'Het lijkt me meer een fluitje van een dubbeltje te worden. Of nog duurder misschien!'
Maar toen ging hij toch maar achter Marco aan.

Zo'n klimpartij lijkt in films en op de televisie nooit zo moeilijk. Jammer genoeg hadden ze geen van beiden ooit een echte berg beklommen. Ze hadden er ook de noodzakelijke uitrusting niet voor. Vader keek bedenkelijk, maar Marco was meteen aan het klauteren gegaan. Hij trok zich omhoog aan de spleten tussen de stenen. Ook de stengels van klimplanten gaven hier en daar een goed houvast. Binnen een paar minuten was hij al halverwege de gevel.
'Waar blijf je, paps?'
Hij draaide zich om en keek omlaag. Hij zag zijn vader, die het wat rustiger aan deed. Marco liet één hand los en trok plagend een lange neus. Dat had hij beter niet kunnen doen. Zijn hele gewicht rustte nu op zijn ene voet. Dat bleek veel te zwaar voor het brok steen waarop hij stond. Het brak af en rolde omlaag. Rakelings schoot het langs zijn vader. Op de stenen vloer beneden spatte het met een harde klap uit elkaar. Geschrokken probeerde Marco houvast te vinden, maar het lukte nauwelijks.

‘Help!’ krijste hij, hangend aan één hand, zijn voeten spartelend in de lucht. ‘Ik val!’
‘Niks ervan!’ riep zijn vader, die nu razend snel omhoogklom. Hij greep Marco’s voet beet en zette die op een richel.
‘Wil je alsjeblieft niet van die stoere dingen doen?’ hijgde hij. ‘Ik ben erg blij dat de medicijnman kans heeft gezien ons weer op te lappen. Maar één keer is genoeg. Ik heb er geen behoefte aan om dat nóg eens mee te maken.’
Nog een beetje bibberend klom Marco verder, nu met zijn vader vlak onder zich. Even later hesen ze zich, bijna buiten adem, over de rand van het dak.

7. Vuur niet goed!

Vader keek rond.
'Wat een wonder dat ze ons vanuit de lucht niet zien. Het komt niet alleen door de bomen. Het dak is ook helemaal overgroeid. Vanuit de lucht zien ze niets dan oerwoud.'
Hij zuchtte.
'Om hier een vuurtje te stoken zal niet meevallen.'
Maar Marco bleef optimistisch.
'Welja, dat lukt best. Eerst de boel een beetje opruimen. Kom op, paps. Aan het werk!'
Ze stonden op en begonnen te trekken aan de dikke laag lange, groene slingers.
In het begin leek het een hopeloos karwei. De planten zaten met hun wortels stevig vast in diepe spleten. Maar na een poosje kwam er een klein stukje van het stenen dak vrij.
'Zie je nou wel?' hijgde Marco. Hij legde wat dorre bladeren en takken op een hoop. 'Geef je aansteker eens.'
Vader schudde zijn hoofd.
'We hebben eerst nog veel meer brandstof nodig. Het vuur moet heel lang kunnen branden. Misschien wel een paar dagen.'
'Weet ik ook wel,' zei Marco ongeduldig. 'Het is alleen maar als proef. We moeten zien of er genoeg rook afkomt. En of die van hieruit wel goed recht omhooggaat.'
'Zoals je wilt.'

Het kostte wat moeite maar ten slotte vatten de dorre bladeren vlam. Even later steeg er een klein rookwolkje omhoog.
'Gelukt!' zei Marco tevreden. Meteen begon hij meer brandstof aan te slepen.

'Niet brand op tempel!'
Waar kwam die indiaan opeens vandaan? De man rende naar hen toe. Haastig begon hij het vuurtje uit te trappen.
'Ho!' riep vader. 'Je begrijpt het verkeerd, man! We willen geen brand stichten. We willen alleen maar de aandacht trekken. Voor het geval er een vliegtuig naar ons op zoek is.'
'Niet vuur,' zei de man koppig. 'Vuur is verkeerd.'
Maar vader hield vol.
'We willen alleen maar rook maken. Dat is voor ons de enige manier om hier weg te komen.'
De indiaan was niet te vermurwen.
'Niet goed,' zei hij.
Er volgde een heel gesprek in een mengelmoesje van gebroken Spaans, indiaans en met veel grote gebaren van handen en voeten. Ten slotte begreep de indiaan dat vader net zo koppig kon zijn als hijzelf.
'Beter eerst praten met stamhoofd,' besliste hij.
'Met stamhoofd en met medicijnman.'
Er zat kennelijk niets anders op. Vader keerde zich om naar Marco.
'Wacht jij hier maar even. Ik zal het hun wel uitleggen. Ik ben zo terug.' Meteen wilde hij naar

de dakrand lopen.
Stomverbaasd hield de indiaan hem tegen.
'Niet dáár omlaag! Dat kan niet. Is gevaarlijk. Trap is daar!' zei hij. Meteen draaide hij zich om. Hij liep naar de achterkant van het tempeldak en daar...
'Asjemenou!' zei vader. Met open mond keek hij naar de trap. Een lange trap die van de grond naar het dak van de tempel liep.
Marco schaterde.
'Als je nóg eens wat weet,' zei zijn vader. 'Daar heb je mij mijn leven voor laten wagen!'
Samen met de indiaan liep hij de trap af, terug naar het dorp.

Marco zat al een hele tijd op het dak. Hij liet zijn benen over de rand bungelen en keek naar de mensen daarbeneden. Er speelden een paar kinderen. Een vrouw liep voorbij met een grote mand op haar hoofd. Een paar mannen waren bezig met iets dat op een visnet leek.
Zo nu en dan keek er iemand verbaasd naar boven. Dan zwaaide Marco, maar niemand zwaaide terug. Wel maakte een enkeling soms een buiging of lachte naar hem. Zwaaien was hier kennelijk onbekend.

Ten slotte begon Marco zich toch wel een beetje ongerust te maken. Waar bleef vader nou? Hij was al erg lang weg. Minstens een uur of nog langer. Zou hij misschien toch maar eens beneden

poolshoogte gaan nemen? dacht hij. Maar precies op dat moment zag hij zijn vader aan komen lopen. Hij zuchtte opgelucht.

'Over de rivier?'
Het idee trok Marco niet erg aan. In gedachten zag hij hoe zijn vader door het wilde water was meegesleurd. Maar zijn vader stelde hem gerust.
'Maak je maar niet bezorgd. We gaan met een papyrus-boot.'
'Een papieren boot?'
Marco keek ongelovig, maar zijn vader lachte.
'Nee, geen papier. Papyrus! Een boot van gevlochten papyrus. Dat zijn een soort rietstengels.'
'Riet? Is dat wel sterk genoeg?'
'Reken maar!' zei vader. 'In Egypte gebruikten ze dat spul duizenden jaren geleden al. Ik had alleen geen idee dat de indianen hier die dingen ook maakten! Bovendien krijgen we twee gidsen mee die de rivier op hun duimpje kennen.'
Marco zag het toch nog niet helemaal zitten. Een kano van rietstengels?
'Kunnen we niet beter wachten tot er een vliegtuig komt?'
Vader schudde zijn hoofd.
'Dat zou nog wel eens heel lang kunnen duren. En of ze ons dan zien in dit dal? Ze moeten erg hoog blijven. Vliegen boven berggebied is gevaarlijk. Bovendien kunnen ze hier nergens landen. Nee, over de rivier is een stuk veiliger én sneller. We

kunnen morgen al vroeg vertrekken. Een heel eind verderop langs de rivier is een kleine handelspost. Daar hebben ze vast wel een zender. Als ik eenmaal contact heb met de fabriek, vraag ik of ze ons komen ophalen. Kom maar gauw mee naar beneden, dan kun je de kano bekijken.'

8. Naar huis

Het was nog bijna donker toen ze zich klaarmaakten om te vertrekken.
'Dit zijn onze gidsen,' zei vader. 'Huanco en Tupac.'
Marco vroeg zich af wat hij moest doen. Ze een hand geven? Maar de mannen maakten alleen een buiging. Marco boog terug en keek toen een beetje aarzelend naar het ranke bootje. 'Houdt dat ding het wel?' vroeg hij zachtjes aan zijn vader. 'Met vier man!'
Huanco hoorde wat hij zei en lachte.
'Kan wel zes,' zei hij. 'Stap maar in.'

Het begin van de tocht viel erg mee. De smalle rivier die door het dal liep, was heel kalm. Het water stroomde wel erg snel, maar dat kwam goed uit. Op die manier schoten ze flink op. Het was ook best leuk om het oerwoud aan beide kanten voorbij te zien schieten.
Hun gidsen hadden weinig te doen. Ze hielden de boot zonder moeite in het midden van de rivier. Na een poosje voelde Marco zich helemaal op zijn gemak. Het was nu echt een beetje vakantie aan het worden. Soms was er langs de oever een open stuk met een strandje. 'Jammer paps, dat het nog zo vroeg is,' zei Marco. 'Best leuke strandjes voor een picknick. En om even lekker te zwemmen!'
'Dacht je?' grijnsde zijn vader. Hij wees op de

boomstammen die her en der op het strandje lagen. Wat vreemd, dacht Marco. Zo ver in de wildernis waren toch geen houthakkers aan het werk?
Opeens zag hij een paar van de boomstammen bewegen. Toen de boot dichterbij kwam, gleden ze het water in. Opeens snapte Marco het en hij rilde. Dat waren geen boomstammen! Het waren enorme krokodillen!
Zijn vader stelde hem gerust.
'We komen straks nog langs massa's leuke plekjes voor een picknick. Zonder krokodillen!'

Ze voeren nu al een hele poos. Het water rond de boot was wilder geworden. Hier en daar lagen grote rotsblokken. Het water spatte daar hoog tegenop. In een fijne regen kwam het weer omlaag. Al gauw waren ze allevier kletsnat.
De gidsen hadden nu hun handen vol. Ze zaten geknield, de een voor en de ander achter in de boot. Met hun peddels laveerden ze tussen de hindernissen door. Soms scheerden ze rakelings langs een groot rotsblok. Angstig hield Marco zich vast. Het was nu geen rustig tochtje meer! De boot vloog van links naar rechts over kolkende, schuimende golven.
En het werd alleen nog maar erger! Hun rivier was uitgemond in een veel grotere. Het water perste zich tussen hoge rotsen door. Het lawaai om hen heen was oorverdovend geworden. Soms kon Marco nauwelijks meer zien welke kant ze eigenlijk op gingen. Om zich heen zag hij niets

dan golven, schuim en rotsen. Het water spatte over hem heen en hij was al gauw door- en doornat. Hij had ook geen besef meer van de tijd. Hoe lang voeren ze al?
Maar de gidsen schenen met de hindernissen niet veel moeite te hebben. Met hun peddels stuurden ze de boot steeds tussen de rotsen door.
Eindelijk kwamen ze in kalmer water terecht.
'Phoe!' zei vader en slaakte een diepe zucht. 'Dat was behoorlijk spannend! Misschien is het nu wel de goede tijd voor die picknick!'
Kennelijk hadden de gidsen hetzelfde idee. Ze stuurden de boot naar de kant, waar een mooi strandje lag.
'Uitrusten!' zei Huanco. 'Lekker vis eten. Grote geroosterde vis! Hm!'
Even later lag de boot half op het zandstrand. Huanco begon meteen wat dorre takken te verzamelen voor een vuurtje. Tupac haalde visgerei te voorschijn en liep naar de waterkant. Daar wroette hij met zijn hakmes in de losse grond. Het duurde even voor hij vond wat hij zocht: een kleine, vette worm. Die deed hij aan zijn haakje en hij begon te vissen. Marco was naast hem komen zitten. Hij keek nieuwsgierig toe.
'Mooi!' zei Tupac en haalde op. Een beetje verbaasd keek Marco naar het kleine visje. Was dat alles?
'Ik dacht dat we een grote vis zouden eten?' Tupac lachte.

'Eerst vangt kleine worm kleine vis. Dan vangt kleine vis grote vis!' Meteen deed hij het visje aan de haak. Opnieuw gooide hij de lijn uit.
'Nu wachten,' zei hij. Marco keek gespannen toe. Maar hij hoefde niet lang te wachten. Opeens stond de lijn strak. Beet ! Voorzichtig haalde Tupac de lijn binnen. In het water ontstond een gespartel van jewelste. Maar Tupac wist hoe hij vissen moest. Hij liet de lijn soms eventjes vieren. Dan trok hij hem weer aan. Zo vermoeide hij de vis steeds meer. En ten slotte trok hij hem zonder al te veel moeite op de kant. Het was een vis van wel vier of vijf kilo!

Het klaarmaken en roosteren van de vis ging snel en handig. Even later zaten ze met zijn vieren op de grond, ieder met een stuk vis op een groot boomblad.
De maaltijd was verrukkelijk. Ze aten allevier tot ze niet meer konden.
Ten slotte keek vader op zijn horloge.
'Wordt het geen tijd? Als het even kan zou ik voor de avond valt nog bij de handelspost willen zijn.'
De gidsen waren het met hem eens. Even later voeren ze weer verder.

Ze bereikten de post inderdaad lang voor de zon onderging. Vader ging meteen druk aan de gang. Jammer, dacht Marco. Ze waren nu wel gered, maar hij was eigenlijk helemaal niet blij. Van hem had het avontuur best veel langer mogen duren.

Hij zat daarover te peinzen, toen zijn vader riep. 'Marco? Ik heb mam aan de lijn. Ze heeft zich erg ongerust gemaakt. Wil jij haar ook even spreken?'

En nu zaten ze samen buiten voor de handelspost. Ze hadden zich gebaad en verkleed. Vader zat lekker lui onderuitgezakt in een gemakkelijke rieten stoel.
De helikopter kon nu elk ogenblik komen.
'Weet je, Marco,' zei vader opeens. 'Er staat daar prachtig hout, dat is waar. Maar er staat ook een tempel en er wonen indianen. Indianen zoals ik nooit had gedacht dat ze bestaan.' Hij zuchtte. 'We kunnen daar voorlopig maar beter wegblijven. Ik denk dat ik in mijn rapport schrijf dat daar niets te vinden is wat voor de fabriek van belang is.'
'Hoi!' zei Marco, maar het klonk een beetje schor. 'Bedankt, paps.' En toen deed hij wat hij al jaren niet meer had gedaan. Hij gaf zijn vader zomaar een zoen.

Er zijn negen Zoeklichtboeken over Survival:

*

**

***

Lees ook Zoeklicht Sport:

*

**

***